CYNNWYS

1 Henri Helynt a'r Dyn Eira Erchyll   1

2 Diwrnod Glawog Henri Helynt   27

3 Gweddnewidiadau Bethan Bigog   47

4 Ymweliad Awdur Henri Helynt   69

1

HENRI HELYNT A'R DYN EIRA ERCHYLL

Cododd Bethan Bigog ei braich i anelu.

Clatsh!

Gwibiodd pelen eira heibio a tharo wyneb Sara Sur.

'AAAAAAAAAAWWW!' sgrechiodd Sara.

'Ha ha, fe ges i ti,' meddai Bethan.

'Yr hen ferch gas,' udodd Sara, gan godi llond dwrn o eira a'i daflu at Bethan.

Clatsh!

Tarodd pelen eira Sara wyneb Bethan Bigog.

'OWWWW!' sgrechiodd Bethan. 'Dwi'n methu gweld.'

'Da iawn!' sgrechiodd Sara.

'Dwi'n dy gasáu di!' gwaeddodd Bethan, gan wthio Sara.

'Dwi'n dy gasáu di'n fwy!' gwaeddodd Sara, gan wthio Bethan.

Bwm! Cwympodd Bethan i ganol yr eira.

Bwm! Cwympodd Sara i ganol yr eira.

'Dwi'n mynd adref i wneud dyn eira ar fy mhen fy hun,' llefodd Sara.

'Popeth yn iawn. Fe enillaf i hebddot ti,' meddai Bethan.

'Wnei di ddim!'

'O, gwnaf! Fi sy'n mynd i ennill, y dwpsen dwp,' gwichiodd Bethan.

'*Fi* sy'n mynd i ennill,' gwichiodd Sara. 'Dwi ddim wedi dweud dim am fy syniadau gorau i.'

'Ennill? Ennill beth?' mynnodd Henri Helynt. Cerddodd yn drwm i lawr grisiau'r drws ffrynt yn ei esgidiau eira a mynd at y merched. Gallai Henri glywed y gair *ennill* o bell.

'Dwyt ti ddim wedi clywed am y gystadleuaeth?' meddai Sara Sur. 'Y wobr yw–'

'Bydd ddistaw! Paid â dweud wrtho fe,' gwaeddodd Bethan Bigog, gan wasgu eira ar ben ei dyn eira.

Ennill? Cystadleuaeth? Gwobr? Crynodd clustiau Henri Helynt. Pa gyfrinach roedden nhw'n ceisio'i chadw oddi wrtho? Wel, ddim yn hir. Roedd Henri Helynt yn arbenigo ar ddod i wybod pethau.

3

'O, y gystadleuaeth. Dwi'n gwybod popeth am *honno*,' meddai Henri Helynt yn gelwyddog. 'Hei, dyna ddyn eira gwych,' ychwanegodd, gan gerdded draw'n hamddenol at ddyn eira Bethan ac esgus edmygu ei gwaith.

Nawr, beth ddylai e ei wneud? Ei phoenydio hi? Roedd gwallt Bethan yn darged da bob amser. A byddai hi'n siŵr o siarad petai e'n gwthio eira i lawr ei siwmper.

Beth am lwgrwobrwyo? Gallai ledaenu sïon gwych am Bethan yn yr ysgol. Neu . . .

'Dwed wrtha i am y gystadleuaeth neu mae'r dyn eira'n ei chael hi,' meddai Henri Helynt yn sydyn, gan neidio draw ato a rhoi ei ddwylo am ei wddf.

'Fyddet ti ddim yn meiddio,' ebychodd Bethan Bigog.

Cododd Henri Helynt ei ddwy law, yn barod i wthio.

'Hwyl fawr,' poerodd Henri Helynt.
'Braf dy nabod di.'

Siglodd dyn eira Bethan.

'Aros!' sgrechiodd Bethan. 'Fe ddweda
i wrthot ti. Does dim ots achos wnei di
byth ennill.'

'Dwed ragor,' meddai Henri Helynt yn
ofalus, gan edrych am yn ôl rhag ofn bod
Sara'n ceisio ymosod arno.

'Mae Hufen Iâ Hyfryd yn cynnal
cystadleuaeth y dyn eira gorau,' eglurodd
Bethan Bigog, gan rythu arno. 'Y wobr
yw blwyddyn o hufen iâ am ddim. Bydd y
beirniaid yn penderfynu bore fory. Nawr

5

cadw draw oddi wrth fy nyn eira i.'

Cerddodd Henri Helynt i ffwrdd yn syfrdan. Taflodd Bethan a Sara beli eira ato ond sylwodd Henri ddim hyd yn oed. Blwyddyn o hufen iâ am ddim yn syth o ffatri Hufen Iâ Hyfryd. O waw! Allai Henri Helynt ddim credu'r peth. Roedd Mam a Dad mor ofnadwy o gas, doedd e ddim yn cael hufen iâ'n aml iawn. A phan fyddai e'n cael peth, doedd e byth *bythoedd* yn cael rhoi saws cyffug cynnes a hufen wedi'i chwipio a darnau mân drosto. Na chodi'r hufen iâ o'r twb i'w bowlen ei hun. O nac oedd.

Wel, pan fyddai e'n ennill Cystadleuaeth y Dyn Eira Gorau, allen nhw ddim o'i atal rhag bwyta Hufen Iâ Siocled Cyffug Campus neu Hufen Iâ Taffi Fanila a Ffrwythau. O, ffantastig! Gallai Henri flasu'r hufen iâ hyfryd hwnnw y funud honno. Byddai'n byw ar hufen iâ. Byddai'n cael bath mewn hufen iâ. Byddai'n cysgu mewn hufen iâ. Byddai pawb o'r ysgol yn cyrraedd pan fyddai lorri Hufen Iâ Hyfryd yn dod â'r casgenni i'r tŷ bob wythnos. Dim ots faint fyddai pawb yn ymbil arno, byddai Henri Helynt yn eu hanfon adref. Fyddai e ddim yn rhannu diferyn o'i hufen iâ gwerthfawr â *neb*.

A'r cyfan roedd yn rhaid iddo'i wneud oedd gwneud y dyn eira gorau yn yr ardal. Pach! Dyn eira Henri fyddai'n ennill, siŵr iawn. Byddai'n gwneud y dyn eira mwyaf. Ac nid dyn eira'n unig. Dyn eira gyda chrafangau, a chyrn, a dannedd hir.

Fampir-diafol-anghenfil o ddyn eira. Dyn
Eira Erchyll. Ie!

Gwyliodd Henri Bethan a Sara'n rholio
eira ac yn ei wasgu ar eu dyn eira simsan.
Ha. Pentwr eira oedd e, nid dyn eira.

'Wnewch chi byth ennill gyda *hwnna*,'
gwawdiodd Henri Helynt. 'Mae eich dyn
eira chi'n anobeithiol.'

'Mae e'n well na d'un di,' meddai
Bethan yn sarrug.

Rholiodd Henri Helynt ei lygaid.

'Mae hynny'n amlwg, achos dwi ddim wedi dechrau ar f'un i eto.'

'Rydyn ni ymhell ar y blaen i ti, felly ha ha ha,' meddai Sara. 'Rydyn ni'n gwneud dawnswraig bale eira.'

'Cau dy geg, Sara,' sgrechiodd Bethan.

Dawnswraig bale eira? Dyna syniad twp. Os mai dyna'u syniad gorau nhw, roedd Henri'n siŵr o ennill.

'Fy nyn eira i fydd y mwyaf, y gorau, y mwyaf anferthol erioed,' meddai Henri Helynt. 'Ac yn llawer gwell na'ch corrach eira twp chi.'

'Dim gobaith caneri,' gwawdiodd Bethan.

'Ie, Henri,' gwawdiodd Sara. 'Ein dyn eira ni yw'r gorau.'

'Dim o gwbl,' meddai Henri Helynt, gan ddechrau rholio pelen enfawr o eira i wneud bola mawr i'r Erchyll. Roedd yn rhaid bwrw iddi ar unwaith.

Rholio.

Rholio.

Rholio.

I fyny'r llwybr, i lawr y llwybr, ar draws yr ardd, ar hyd yr ymyl, yn ôl ac ymlaen, yn ôl ac ymlaen, rholiodd Henri Helynt y belen eira fwyaf erioed.

'Henri, ga i wneud dyn eira gyda ti?' meddai llais bach.

'Na chei,' meddai Henri, gan ddechrau cerfio traed â chrafangau.

'O plîs,' meddai Alun. 'Fe allen ni wneud un enfawr gyda'n gilydd. Fel cwningen eira, neu–'

'Na!' meddai Henri. 'Fy nyn eira *i* yw hwn. Gwna un dy hunan.'

'Maaaammmm!' llefodd Alun. 'Dyw Henri ddim yn gadael i fi wneud dyn eira gyda fe.'

'Paid â bod mor gas, Henri,' meddai Mam. 'Beth am wneud un gyda'ch gilydd?'

'NA!!!' meddai Henri Helynt. Roedd e eisiau gwneud ei ddyn eira ei *hun*.

Petai e'n gwneud dyn eira gyda'i fwydyn

twp o frawd, byddai'n rhaid iddo rannu'r
wobr. Wel, dim o gwbl. Roedd e eisiau'r
holl hufen iâ ei hunan. A'i Ddyn Eira
Erchyll e fyddai'r gorau, siŵr iawn. Pam
dylai e rannu gwobr pan nad oedd rhaid?

'Cadw draw o'r dyn eira, Alun,' poerodd
Henri.

Snwffiodd Alun Angel. Yna dechreuodd
rolio pelen bitw o eira.

'A chwilia am dy eira dy hunan,' meddai
Henri. 'Fi biau'r eira yma i gyd.'

'Maaaaaam!' wylodd Alun. 'Mae Henri'n
mynd â'r eira i gyd.'

★

'Wedi gorffen,' canodd Bethan Bigog. 'Gwna'n well na *hyn* os wyt ti'n gallu.'

Edrychodd Henri Helynt ar ddynes eira Bethan a Sara. Roedd twtw mawr pinc am ei chanol. Roedd hi bron cymaint â Bethan.

'Dyw'r hen bentwr 'na o eira'n ddim byd o'i gymharu â *f'un i*,' broliodd Henri Helynt.

Edrychodd Bethan Bigog a Sara Sur ar Ddyn Eira Erchyll Henri, gyda'i helmed gorniog, dannedd hir a chrafangau blewog dychrynllyd. Roedd e ychydig o gentimetrau'n dalach na Henri.

'Naa na na naa naa, mae f'un i'n fwy,' broliodd Henri.

'Naa na na naa naa, mae f'un i'n well,' broliodd Bethan.

'Wyt ti'n hoffi fy nyn eira i?' meddai Alun. 'Wyt ti'n meddwl y gallwn i ennill?'

Syllodd Henri Helynt ar ddyn eira pitw Alun Angel. Doedd dim pen ganddo fe hyd yn oed, dim ond lwmp o gorff hir, tenau a dwy garreg yn lle llygaid.

Dechreuodd Henri Helynt udo chwerthin.

'Dyna'r dyn eira gwaethaf welais i erioed,' meddai Henri. 'Does dim pen ganddo fe hyd yn oed. Moronen eira yw hi.'

'Nage,' wylodd Alun. 'Cwningen fawr yw hi.'

'Henri! Alun! Amser swper,' galwodd Mam.

Tynnodd Henri ei dafod ar Bethan.

'A phaid â meiddio cyffwrdd â fy nyn eira i.'

Tynnodd Bethan ei thafod ar Henri.

'A phaid â meiddio cyffwrdd â fy nynes eira i.'

'Fe fydda i'n dy wylio di, Bethan.'

'Fe fydda i'n dy wylio di, Henri.'

Rhythodd y ddau ar ei gilydd.

Deffrodd Henri.

Beth oedd y sŵn yna? Oedd Bethan yn ymosod ar ei ddyn eira? Oedd Sara'n dwyn ei eira?

Rhuthrodd Henri Helynt at y ffenest.

Diolch byth. Roedd ei Ddyn Eira Erchyll yno, mor fawr ag erioed, yn fwy na phob dyn eira arall yn y stryd. Doedd dim dwywaith mai dyn eira Henri oedd y mwyaf a'r gorau. Iym iym, gallai flasu'r Hufen Iâ Darnau Siocled Menyn Cnau Cwstard Malws Melys y funud honno.

Dringodd Henri Helynt yn ôl i'r gwely.

Roedd e'n dal i amau rhywbeth.

Oedd ei ddyn eira e'n *bendant* yn fwy nag un Bethan?

Wrth gwrs ei fod e, meddyliodd Henri.

'Wyt ti'n siŵr?' cwynodd ei fol.

'Ydw,' meddai Henri.

'Achos dwi wir eisiau'r hufen iâ 'na,' chwyrnodd ei fol. 'Beth am wneud yn hollol siŵr?'

Cododd Henri Helynt allan o'r gwely.

Roedd e'n siŵr fod ei ddyn eira'n fwy
ac yn well nag un Bethan. Roedd e'n
hollol siŵr ei fod e'n fwy ac yn well.

Ond beth os–

Allaf i ddim cysgu heb wneud yn siŵr,
meddyliodd Henri.

Sleifio.

Sleifio.

Sleifio.

Llithrodd Henri allan o'r drws ffrynt.

Roedd y stryd i gyd yn dawel ac yn wyn
ac yn rhewllyd. Roedd dyn eira o flaen
pob tŷ. Roedd pob un ohonyn nhw'n llai
nag un Henri, sylwodd yn falch.

A dyna lle roedd ei Ddyn Eira Erchyll
yn sefyll yn dal, a'r cyrn ar yr helmed
Llychlynwyr yn crafu'r awyr. Syllodd
Henri Helynt arno'n falch. Wrth ei ymyl
roedd ploryn diflas Alun, gyda'i gerrig du

twp. Lwmp o eira, meddyliodd Henri.

Yna edrychodd draw ar ddynes eira
Bethan. Efallai ei bod hi wedi cwympo,
meddyliodd Henri'n obeithiol. Ac os nad
oedd hi, efallai y gallai e roi help llaw iddi
. . .

Edrychodd eto. Ac eto. Yr hen genawes
gyfrwys!

Roedd Bethan wedi rhoi pelen
ychwanegol o eira ar ben y ddynes eira, a
het flodeuog enfawr.

Roedd hi wedi twyllo eto, meddyliodd
Henri Helynt yn gynddeiriog. Roedd
Bethan wedi sleifio allan ar ôl amser gwely
ac wedi gwneud ei dynes hi'n fwy na'i
ddyn eira ef. Rhag ei chywilydd hi! Wel,
byddai e'n trechu Bethan. Byddai e'n
ychwanegu rhagor o eira at ei ddyn eira'n
syth.

Edrychodd Henri Helynt o gwmpas. Ble gallai ddod o hyd i ragor o eira? Roedd e wedi defnyddio pob pluen ar ei lawnt ffrynt i wneud ei ddyn eira enfawr, a doedd dim eira newydd wedi syrthio.

Crynodd Henri.

Brr, roedd hi'n rhewi. Roedd angen rhagor o eira arno, ar frys. Roedd ei slipers yn dechrau teimlo'n wlyb ac yn oer iawn.

Edrychodd Henri Helynt ar lwmp eira diflas Alun. Mmmm, meddyliodd Henri Helynt.

Mmmm, meddyliodd Henri Helynt eto.

Wel, dyw e ddim yn gwneud dim o

werth fan yna, meddyliodd Henri. Gallai
rhywun faglu drosto fe. Gallai rhywun gael
niwed. Yn wir, roedd lwmp eira Alun yn
beryg bywyd. Roedd rhaid iddo wneud
rhywbeth ar frys cyn i rywun faglu drosto
a thorri coes.

Aeth ati'n gyflym i godi dyn eira Alun
a'i osod yn ofalus ar ben ei ddyn e. Yna,

safodd ar flaenau'i draed i gydbwyso
helmed y Dyn Eira Erchyll ar ei ben.

Dyna ni!

Llawer gwell. Ac yn *llawer* mwy na dyn
eira Bethan.

Roedd dannedd Henri Helynt yn
clecian wrth iddo sleifio'n ôl i'w gartref
a llithro i mewn i'r gwely. Hufen iâ, dyma
fi'n dod, meddyliodd Henri Helynt.

Bing bong.

Neidiodd Henri Helynt allan o'r gwely.
Am fore i gysgu'n hwyr!

Rhedodd Alun Angel i agor y drws.

'Rydyn ni'n dod o Ffatri Hufen Iâ
Hyfryd,' meddai'r dyn, a gwên o glust i
glust. 'A dy ddyn eira di sy wedi ennill y
wobr.'

'Fi enillodd!' sgrechiodd Henri Helynt.
'Fi enillodd!' Gwibiodd i lawr y grisiau ac
allan drwy'r drws. O, am ddiwrnod hyfryd

hyfryd. Roedd yr awyr yn las. Roedd yr haul yn gwenu – yyy???

Edrychodd Henri Helynt o gwmpas.

Roedd Dyn Eira Erchyll Henri Helynt wedi mynd.

'Bethan!' sgrechiodd Henri. 'Fe ladda i di!'

Ond roedd dynes eira Bethan Bigog wedi mynd hefyd.

Roedd helmed y Dyn Eira Erchyll ar ei ochr yn yr eira. Yr unig ddarn o ddyn eira Henri oedd ar ôl oedd . . . ploryn Alun, gyda'i ddwy garreg ddu yn lle llygaid. Roedd rhuban mawr glas wedi'i roi ar ei ben.

'Ond *fi* biau'r dyn eira yna,' meddai Alun Angel.

'Ond . . . ond . . .' meddai Henri Helynt.

'Felly, *fi* enillodd?' meddai Alun.

'Dyna wych, Alun,' meddai Mam.

'Dyna arbennig, Alun,' meddai Dad.

'Roedd y lleill i gyd wedi toddi,' meddai'r dyn Hufen Iâ Hyfryd. 'Dim ond dy ddyn eira di oedd ar ôl. Roedd e'n gawr, siŵr o fod.'

'Oedd,' udodd Henri Helynt, 'roedd e'n gawr a hanner!'

2

DIWRNOD GLAWOG HENRI HELYNT

Roedd Henri Helynt wedi diflasu. Roedd Henri Helynt wedi cael llond bol. Doedd e ddim yn cael defnyddio'r cyfrifiadur ar ôl gwibio'n wyllt drwy Amgueddfa Ein Tref. Doedd e ddim yn cael gwylio'r teledu ar ôl cael ei ddal yn gwylio ychydig *bach bach* yn rhagor pan oedd wedi cael rhybudd i'w ddiffodd yn syth ar ôl rhaglen Gethin Gwyllt. Nid ei fai e oedd bod cyfres newydd gyffrous am robot gwyllt wedi dechrau'n syth wedyn. Sut oedd e i farnu a oedd hi'n rhaglen dda heb wylio darn ohoni hi?

Doedd hyn ddim yn deg o gwbl ac Alun oedd ar fai am glepian, a Mam a Dad oedd y rhieni casaf, mwyaf ofnadwy yn y byd.

A nawr roedd e'n sownd yn y tŷ, drwy'r dydd gwyn, a dim byd i'w wneud.

Roedd y glaw'n pistyllio i lawr. Roedd y tŷ'n llwyd. Roedd y byd yn llwyd. Roedd y bydysawd yn llwyd.

'Dwi wedi diflasu!' cwynodd Henri Helynt.

'Darllena lyfr,' meddai Mam.

'Gwna dy waith cartref,' meddai Dad.

'NA WNAF!' meddai Henri Helynt.

'Taclusa dy stafell, 'te,' meddai Mam.

'Tynna'r llestri o'r peiriant,' meddai Dad.

'Gwacâ'r biniau,' meddai Mam.

'DIM O GWBL!' gwichiodd Henri
Helynt. Beth oedd e, caethwas? Gwell
iddo gadw draw oddi wrth ei rieni, neu
bydden nhw'n meddwl am ragor o bethau
ofnadwy iddo'u gwneud.

Cerddodd Henri Helynt yn drwm lan
i'w stafell wely ddiflas a chau'r drws yn
glep. Ych. Roedd e'n casáu pob tegan.
Roedd e'n casáu pob darn o gerddoriaeth.
Roedd e'n casáu pob gêm.

YYYYYCHCHCHCH! Beth allai ei
wneud?

Aha.

Gallai fynd i weld beth roedd Alun yn ei
wneud.

Roedd Alun Angel yn eistedd yn ei
stafell ac yn trefnu stampiau yn ei albwm
stampiau.

'Mae Alun yn fabi, mae Alun yn fabi,'
gwawdiodd Henri Helynt, gan roi ei ben
o gwmpas y drws.

'Paid â 'ngalw i'n fabi,' meddai Alun Angel.

'O'r gorau, Mr Caca,' meddai Henri.

'Paid â 'ngalw i'n Mr Caca!' gwichiodd Alun.

'O'r gorau, Mr Pwp,' meddai Henri.

'MAAAAM!' llefodd Alun. 'Fe alwodd Henri fi'n Mr Pwp!'

'Paid â bod mor gas, Henri!' gwaeddodd Mam. 'Paid â galw enwau ar dy frawd.'

Gwenodd Henri'n hyfryd ar Alun.

'O'r gorau, Alun, achos fy mod i mor garedig, fe gei di wneud rhestr o ddeg enw nad wyt ti eisiau i fi dy alw di,' meddai Henri. 'A dim ond punt fydd yn rhaid i ti ei dalu.'

Punt! Allai Alun Angel ddim credu'i glustiau. Byddai Alun yn talu llawer mwy na hynny i beidio â chael ei alw'n Mr Pwp byth eto.

'Tric yw hwn, ie, Henri?' meddai Alun.

'Nage,' meddai Henri. 'Rhag dy gywilydd di! Dwi'n rhoi cynnig da i ti, ac rwyt ti'n fy nghyhuddo i. Wel, os felly— '

'Aros,' meddai Alun. 'Dwi'n derbyn.' Rhoddodd ddarn punt i Henri. O'r diwedd, byddai'r holl eiriau cas yna'n mynd. Fyddai Henri byth yn ei alw'n Mr Caca byth eto.

Tynnodd Alun ddarn o bapur a phensel allan.

Nawr, beth ddylai ei roi ar y rhestr, meddyliodd Alun. Mr Pwp, i ddechrau. A dwi'n casáu cael fy ngalw'n Babi, a Wyneb Clwt, a Mr Caca. Daliodd Alun i ysgrifennu o hyd.

'O'r gorau, Henri, dyma'r rhestr,' meddai Alun.

ENNAU NAD YDYN I
EISIAU CAEL FY NGALW

1. Mr Pwp
2. Mr Caca
3. Salw
4. Wyneb Clwt
5. Babi
6. Llyffant
7. Llyffant Drewllyd
8. Gwalch
9. Mwydyn
10. Pants caca

Edrychodd Henri Helynt dros y rhestr.
'O'r gorau, pants drewllyd,' meddai Henri.
'Sorri, pants pwplyd. Neu ai clwt drewllyd
oedd e?'

'MAAAMM!' llefodd Alun. 'Mae
Henri'n galw enwau arna i!'

'Henri!' sgrechiodd Mam. 'Am y tro olaf,
wyt ti'n gallu gadael llonydd i Alun?'

Meddyliodd Henri Helynt am eiliad.

Oedd e'n gallu gadael
llonydd i'r mwydyn yna?

'Mae Alun yn froga,
mae Alun yn froga,'
canodd Henri.

'MAAAAAAMMMMM!'
sgrechiodd Alun.

'Dyna ddigon, Henri!' gwaeddodd Mam.
'Dim arian poced am wythnos. Cer i dy
stafell ac aros yno.'

'O'r gorau!' sgrechiodd Henri. 'Fe
fyddwch chi i gyd yn drist pan fydda i
wedi marw.' Cerddodd yn drwm i lawr y
coridor a gwneud cymaint o sŵn â phosib
wrth gau drws ei stafell wely. *Pam* roedd ei
rieni mor ofnadwy o gas? Doedd e ddim
yn poeni Alun rhyw lawer. Roedd Alun
yn froga. Dim ond dweud y gwir roedd
Henri.

Wel, fe fydden nhw'n drist pan fyddai
e'n marw o ddiflastod lan yn ei stafell.

Trueni na chafodd e wylio
ychydig bach yn rhagor o
deledu, byddai Mam yn
crio. Fyddai hynny wedi
bod mor ofnadwy?

Trueni ei fod
e wedi gorfod gwneud
cymaint o waith yn y tŷ,
byddai Dad yn llefain.

Pam na fyddwn i wedi
gadael i Henri alw enwau arna
i, byddai Alun yn udo. Wedi'r
cyfan, mae pants drewllyd
gyda fi.

A nawr mae hi'n rhy hwyr ac rydyn ni'n
teimlo moooooor drist, bydden nhw'n
sgrechian.

Ond aros. *A* fydden nhw'n teimlo'n
drist? Byddai Alun yn bachu ei stafell. A'i
deganau gorau i gyd. Gallai ei elyn pennaf,
Prys Pwysig, ddod draw a dwyn beth

bynnag roedd e eisiau, hyd yn oed ei fanc
sgerbydau a'i Saethwr Llysnafedd. Gallai
Alun ymosod ar gaer y Llaw Biws a fyddai
Henri ddim yn gallu ei atal. Gallai Bethan
Bigog neidio dros y wal a dwyn ei faner.
A'i fisgedi. A'r cit Diodydd Ffiaidd. Hyd
yn oed ei . . . . Saethwr Syfrdanol.

NAAAAAA!!!

Aeth Henri Helynt yn welw. Roedd yn
rhaid iddo rwystro'r lladron lloerig yna.
Ond sut?

Gallwn i ddod yn ôl fel ysbryd i'w poeni
nhw, meddyliodd Henri Helynt. Gallwn!
Byddai hynny'n wers i'r rheibwyr beddau

yna i beidio â'i boeni.

'WWWWWW, cer o fy staaaaaaafell i, y broooooooga ofnadwwwwwwy,' byddai'n cwyno wrth Alun.

'Os byddi di'n cyffwrdd â fy Saethwwwwwr Llysnaaaaaafedd, fe gei di dy droi'n ectoplasm,' byddai'n cwyno, o dan wely Prys Pwysig. Ha! Dyna wers iddo fe.

Neu byddai'n neidio allan o gwpwrdd dillad Bethan Bigog.

'Rhrhrho degaaaaaanau Henrrrrri'n ôôôôôôôl, y neidrrrr ddiflas a sssssseimllyd,' byddai'n poeri. Dyna wers iddi hithau hefyd.

Gwenodd Henri. Ond er y byddai poeni pobl fel ysbryd yn

hwyl, byddai'n well ganddo rwystro ei elynion ofnadwy rhag mynd â'i bethau yn y lle cyntaf.

Ac yna cafodd Henri Helynt syniad hollol wych. On'd oedd Mam wedi sôn wrtho'r diwrnod o'r blaen fod pobl yn ysgrifennu ewyllys i ddweud pwy ddylai gael eu pethau nhw i gyd ar ôl iddyn nhw farw? Roedd Henri wedi bod wrth ei fodd.

'Felly pan fyddi di'n marw, dwi'n cael dy arian di i gyd!' gwenodd Henri. Waw. *Fe* fyddai'n berchen ar y tŷ! A'r car! Ac *fe* fyddai'n fòs ar y teledu, achos *fe* fyddai'n berchen ar hwnnw hefyd!!! Yr unig drueni oedd –

'Allet ti ddim rhoi'r cyfan i fi nawr?' gofynnodd Henri.

'Henri!' meddai ei fam yn swta. 'Paid â bod yn gas.'

Roedd rhaid bwrw iddi ar unwaith.

Roedd rhaid iddo ysgrifennu ewyllys yn syth.

Eisteddodd Henri Helynt wrth ei ddesg a bachu darn o bapur.

FY EWYLLYS

RHYBUDD: PEIDIWCH Â'I DDARLLEN
ONI BAI FY MOD I WEDI MARW!!!! Wir nawr!!!!

Os ydych chi'n darllen hwn, dwi wedi marw a dydych chi ddim. Byddai'n well gen i petaech chi wedi marw a finnau ddim, er mwyn i fi gael eich pethau chi i gyd. Dydy'r peth ddim yn deg o gwbl.

Yn gyntaf, os yw unrhyw un yn meddwl dwyn fy mhethau i oherwydd fy mod i wedi marw . . . GWYLIWCH! Bydd unrhyw un sydd ddim yn gwneud fel dwi'n dweud yn cael ei boeni gan ysbryd heb waed nac esgyrn, hynny yw, fi. Felly dyna'r rhybudd.

Dyma'r darn anodd, meddyliodd Henri
Helynt. Pwy ddylai gael ei bethau? Oedd
unrhyw un oedd yn haeddu unrhyw beth?

**Alun, rwyt ti'n fwydyn. Ac yn froga. Ac yn fabi
wyneb napi salw drewllyd pants drewllyd Mr Pwp. I
ti dwi'n gadael** ... mmmmm. Ddylai'r broga
bach ddim cael dim byd. Ond
roedd Alun yn frawd iddo
wedi'r cyfan. **Dwi'n gadael y papur
am fy losin. A brigyn mwdlyd.** Roedd hynny'n
fwy nag oedd Alun yn ei haeddu. Ond
wedyn ...

**Prys, ti yw cefnder mwyaf
ffroenuchel ac ofnadwy a
gwaethaf y byd. Cei di bâr o fy
sanau. Cei di ddewis rhwng y rhai
glas gyda'r tyllau neu'r rhai oren sy'n cwympo i lawr
o hyd.**

**Bethan, y ferch hyll. I ti rwy'n rhoi
baner y Llaw Biws i gofio amdanaf
i - NAC YDW! Cei di ddau radis a'r
marchog sydd wedi colli'i ên. A chadw**

dy bawennau oddi ar fy Mlwch Bwyd
Ffiaidd! Neu . . .

Miss Hen Sguthan, chi yw'r
athrawes waethaf gefais i erioed. I
chi rwy'n gadael pensel wedi torri.

Anti Gwen, cewch chi'r

gardigan werdd
olau a ges i gyda chi'n anrheg
Nadolig.

Mmmm. Hyd yn hyn
doedd e ddim yn gwneud yn wych yn
rhoi'r pethau da oedd ganddo.

Huw, cei di fy Saethwr Llysnafedd, ond DIM
OND os wyt ti'n rhoi dy bêl droed a dy feic a'r gêm
gyfrifiadur Ysbrydion Seimllyd i fi.

Dyna welliant. Wedi'r cyfan, pam mai *fe*
ddylai fod yr unig un i ysgrifennu ewyllys.
Roedd meddwl am *gael* pethau oddi wrth
bobl eraill yn llawer mwy o hwyl na rhoi
ei drysorau ei hun.

Mewn gwirionedd, fyddai e ddim yn

well iddo helpu pobl eraill drwy ddweud wrthyn nhw beth roedd e eisiau? Oni fyddai hi'n ofnadwy petai Anti Gwen Gyfoethog yn gadael rhai o hen ddillad Prys yn ei hewyllys, gan feddwl y byddai wrth ei fodd? Gwell ysgrifennu ati'n syth.

Annwyl Anti Gwen

Dwi'n gadel rhywbeth ~~gwich~~ ~~WIR~~ ~~WICH~~ WIR WIR YN WICH yn fy ewillis, felly gwnewch yn siŵr eich bod chi'n gadel llwythi o arian yn eich ewillis chi.

Eich hoff nai

Henri

Prys nawr. Roedd Henri'n gadael hen
bâr o sanau llawn tyllau iddo fe. Ond
doedd dim rhaid i Prys *wybod* hynny, oedd
e. Efallai bod Prys yn *dwlu* ar sanau llawn
tyllau.

Annwyl Prys

Ti'n cofio'r beic rasio
newidd glas sy gyda ti?
Wel pan fyddi di wedi marw
fyddi di ddim o'i ishe fe,
felly gad e i fi yn dy
ewillis plîs

Dy hoff gefndyr

Henri

<u>ON</u> Gyda llaw, sdim rhaid
aros tan i ti farw. Fe gaf i fe
nawr os ti'n moyn.

Iawn, Mam a Dad. Pan fydden nhw yn
y cartref hen bobl fyddai dim angen llawer

o ddim arnyn nhw. Byddai cadair siglo a
blanced yr un yn iawn iddyn nhw.

Felly, sut byddai system sain Dad yn
edrych yn ei stafell wely? Roedd Henri
bob amser wedi hoffi'r cloc oedd yn taro
ar eu silff nhw a'r darlun o'r aderyn du.
Gwell iddo fynd i weld ble gallai eu rhoi
nhw.

Aeth Henri i mewn i stafell Mam a Dad
a bachu llond coflaid o stwff. Baglodd ei
ffordd i'w stafell wely a gollwng popeth ar
y llawr. Yna aeth yn ôl i nôl rhagor.

Wrth fustachu a baglu o dan ei faich trwm, cerddodd Henri Helynt yn simsan i lawr y coridor a bwrw i mewn i Dad.

'Beth wyt ti'n ei wneud?' meddai Dad, gan syllu. 'Fi biau hwnna.'

'A fi biau'r rheina,' meddai Mam.

'Beth sy'n digwydd?' gwichiodd Mam a Dad.

'Dim ond gweld ro'n i sut bydd yr holl bethau yma'n edrych yn fy stafell pan fyddwch chi yn y cartref hen bobl,' meddai Henri Helynt.

'Dwi ddim yno eto,' meddai Mam.

'Rho bopeth 'nôl,' meddai Dad.

Gwgodd Henri Helynt. Dim ond ceisio meddwl ymlaen roedd e, a dyma fe'n cael pryd o dafod.

'Wel, os felly, wnaf i ddim gadael unrhyw un o fy marchogion i chi yn fy ewyllys,' meddai Henri.

Wir, roedd rhai pobl mor hunanol.

3

GWEDDNEWIDIADAU BETHAN BIGOG

'Gwylia, Heledd! Rwyt ti'n difetha dy farnais ewinedd,' sgrechiodd Bethan Bigog. 'Falmai! Paid â chyffwrdd â dy wyneb – rwyt ti'n difetha fy ngwaith caled i i gyd. Sara! Aros yn llonydd.'

'Dwi *yn* aros yn llonydd,' meddai Sara Sur. 'Paid â thynnu 'ngwallt i.'

'Dwi ddim yn tynnu dy wallt,' poerodd Bethan. 'Ei drin e dwi.'

'Aw!' gwichiodd Sara. 'Rwyt ti'n fy mrifo i!'

'Dwi ddim, babi mami.'

'Dwi ddim yn fabi mami,' udodd Sara.

Ochneidiodd Bethan Bigog yn uchel.

'Dyw pawb ddim yn gallu bod yn hardd

yn naturiol fel fi. Mae rhai pobl' – syllodd
yn gas ar Sara – 'yn gorfod gweithio arno
fe.'

'Dwyt ti ddim yn hardd,' meddai Sara
Sur, gan bwffian chwerthin.

'Ydw, 'te,' meddai Bethan, gan redeg ei
llaw dros ei hwyneb.

'Dwyt ti ddim,' meddai Sara. 'Ar raddfa
bod yn hyll o 1 i 10, os yw'r llyffant hyllaf
yn rhif 1, rwyt ti'n rhif 2.'

'Hy!' meddai Bethan. 'Wel, rwyt *ti* mor
hyll, rwyt ti'n finws 1. Does dim graddfa
sy'n ddigon hyll i *ti.*'

'Dwi eisiau fy arian yn ôl!' gwichiodd Sara.

'Dim gobaith!' gwichiodd Bethan. 'Nawr eistedd a bydd ddistaw.'

Dros y wal yn yr ardd nesaf, yn ddwfn yng nghanol y canghennau oedd yn cuddio mynedfa gudd caer y Llaw Biws, roedd ysbïwr o fri wedi codi ei glustiau.

Arian? Oedd e wedi clywed y gair *arian?* Beth oedd yn digwydd drws nesaf?

Gwibiodd Henri Helynt allan o'i gaer a rhuthro draw i'r wal isel oedd rhwng ei ardd ef a gardd Bethan. Yna syllodd. A syllu eto. Roedd e wedi gweld llawer o bethau rhyfedd yn ystod ei fywyd. Ond dim byd mor rhyfedd â hyn.

Roedd Bethan Bigog, Sara Sur, Donna Ddiog, Falmai Falch a Heledd Hardd yn eistedd yng ngardd Bethan. Roedd rholeri gan Sara oedd yn drysu'i gwallt pinc. Roedd masgara glas gan Falmai dros ei hwyneb i gyd. Roedd pefr aur dros Donna i gyd. Dros batio Bethan roedd farnais ewinedd, powdr wyneb a minlliw wedi torri.

Dechreuodd Henri bwffian chwerthin.

'Ydych chi'n chwarae bod yn glown?' meddai Henri.

'Hy, dyna'r cyfan rwyt *ti*'n ei wybod, Henri,' meddai Bethan. '*Dwi'n* rhoi gweddnewidiad i'r merched.'

'Beth yw hynny?' meddai Henri.

'Newid sut mae pobl yn edrych, y twpsyn,' meddai Bethan.

'Ro'n i'n gwybod hynny,' meddai Henri'n gelwyddog. 'Eisiau gweld a oeddet ti'n gwybod ro'n i, dyna i gyd.'

Chwifiodd Bethan daflen yn ei wyneb.

GWEDDNEWIDIADAU
GWYCH BETHAN!
Fe allaf wneud i ti fod yn hardd!
Ie, hyd yn oed TI.
Does neb yn rhy hen neu'n rhy hyll.
Dim ond £1 i fod yn berson newydd!!!!
Brysia!
Cynnig arbennig yn
dod i ben cyn hir!!!!!!!!!!

Gweddnewidiadau? *Gweddnewidiadau?*
Dyna syniad anhygoel o dwp. Pwy
fyddai'n talu i gael hen beth pigog fel
Bethan i roi sothach dros ei wyneb? Ha!
Neb.

Dechreuodd Henri Helynt chwerthin a
phwyntio.

Roedd Falmai Falch yn edrych fel diafol
gyda lliw coch a glas a phorffor dros ei
hwyneb i gyd. Roedd Heledd Hardd yn

edrych fel petai potyn o baent wedi cael
ei arllwys dros ei bochau. Roedd gwallt
Donna'n edrych fel petai mellten wedi'i
tharo hi.

Ond doedd Falmai ddim yn sgrechian
ac yn tynnu gwallt Bethan. Yn lle hynny
rhoddodd hi – *arian* – i Bethan.

'Diolch, Bethan, dwi'n edrych yn wych,'
meddai Falmai Falch, gan edmygu'i hun
yn y drych. Arhosodd Henri i'r drych
gracio.

Wnaeth e ddim.

'Diolch, Bethan,' meddai
Heledd. 'Dwi'n edrych
mor wych, prin dwi'n

adnabod fy hunan.' A rhoddodd hi bunt i Bethan hefyd.

Dwy bunt? Oedden nhw'n wallgof?

'Ydych chi'n paratoi i fynd i Ddawns y Bwystfilod?' gwawdiodd Henri.

'Cau dy geg, Henri,' meddai Falmai Falch.

'Cau dy geg, Henri,' meddai Heledd Hardd.

'Rwyt ti'n eiddigeddus achos dwi'n mynd i fod yn gyfoethog a dwyt ti ddim,' meddai Bethan. 'Na na na naa na.'

'Beth am roi gweddnewidiad i Henri?' meddai Falmai.

'Syniad da,' meddai Bethan Bigog. 'Mae angen un arno fe, does dim dwywaith.'

'Oes,' meddai Sara Sur.

Camodd Henri Helynt am yn ôl.

Daeth Bethan tuag ato, gan gydio mewn farnais ewinedd a brws gwallt.

Dilynodd Falmai hi, gan gydio mewn minlliw, chwistrell lliw gwallt a phethau

eraill i'w arteithio.

Arswyd! Gwibiodd Henri Helynt yn ôl
i'w gaer ddiogel cyn gynted ag y gallai,
gan geisio anwybyddu'r chwerthin a'r
clegar ofnadwy.

Eisteddodd ar orsedd y Llaw Biws
a llowcio ychydig o fisgedi siocled
arbennig o flasus o'r blwch cudd roedd
e wedi'i ddwyn oddi wrth Bethan ddoe.
Gweddnewidiadau! Ha! Dyna'r peth dwlaf
erioed. Pwy ond merch dwp fel Bethan
fyddai'n meddwl am syniad mor hurt? Pa
berson call fyddai eisiau gweddnewidiad?

Ar y llaw arall . . .

Roedd Henri Helynt wedi gweld

Bethan yn cael ei thalu. Arian da, hefyd, dim ond am roi stwff lliw ar wynebau pobl a thynnu eu gwalltiau i bob man.

Mmmmm.

Dechreuodd Henri Helynt feddwl.

Efallai *bod* gan Bethan syniad oedd fymryn bach bach yn dda. Ac, wrth gwrs, beth bynnag roedd hi'n gallu'i wneud, roedd Henri'n gallu'i wneud e'n llawer, llawer gwell. Roedd hi'n amlwg nad oedd Bethan yn gwybod dim byd am weddnewidiadau, felly pam dylai *hi* wneud yr holl arian yna, meddyliodd Henri Helynt yn ddig. Byddai e'n dwyn – nage, yn *benthyg* – ei syniad a'i wneud e'n well. Yn llawer, llawer gwell. Byddai'n gwneud i bobl edrych *wir* yn wych.

Gweddnewidiadau Henri.

Gweddnewidiadau Godidog Henri.

Gweddnewidiadau Gwyrthiol Henri.

Byddai e'n gyfoethog! Gydag ychydig
o ddannedd dodi ac ysgrifbin coch,
gallai droi Miss Hen Sguthan yn fampir.
Byddai Mrs Lletchwith yn Draciwla
perffaith. Ac oni fyddai Prys Pwysig yn
edrych yn llawer gwell ar ôl i'r Dewin
Gweddnewidiadau alw heibio? Fyddai
Anti Gwen ddim yn ei adnabod hyd yn
oed ar ôl i Henri orffen. Ha ha.

Yn gyntaf, roedd angen cyflenwad o
bethau arno. Roedd hynny'n hawdd: roedd
gan Mam dunelli o stwff i'w rhoi dros ei
hwyneb i gyd. A phetai hwnnw'n dod i
ben, gallai ddefnyddio creonau a glud.

Rhuthrodd Henri Helynt i'r stafell
ymolchi a helpu ei hun i lond llaw o golur
Mam. Pam yn y byd roedd
angen yr holl stwff yma
arni, meddyliodd
Henri, wrth ei roi
mewn bag. Roedd
hi'n hen bryd i rywun glirio'r drôr yma.
Yna ysgrifennodd ychydig o daflenni.

Roedd Henri Helynt, Dewin
Gweddnewidiadau, yn barod at waith.

Dim ond cwsmeriaid oedd eu hangen
arno. Cwsmeriaid cyfoethog, hyll,
gobeithio. Nawr, ble gallai ddod o hyd i
rai o'r rheini?

Cerddodd Henri i mewn i'r lolfa. Roedd
Dad yn darllen ar y soffa. Roedd Mam yn
gweithio ar y cyfrifiadur.

Edrychodd Henri Helynt ar ei hen rieni
diflas, crychlyd. Ych a fi!

Roedd tipyn o le i wella arnyn nhw,

meddyliodd Henri. Sut gallai berswadio'r darpar gwsmeriaid hyn yn gynnil fod angen ei help e arnyn nhw – ar frys?

'Mam,' meddai Henri, 'wyt ti'n cofio Hen Fodryb Greta?'

'Ydw,' meddai Mam.

'Wel, rwyt ti'n dechrau edrych yn union fel hi.'

'Beth?' meddai Mam.

'Wyt,' meddai Henri Helynt, 'yn hen ac yn hyll. Ond–' syllodd arni, 'mae mwy o rychau gyda ti.'

'*Beth?*' gwichiodd Mam.

'Ac mae Dad yn edrych fel gargoil,' meddai Henri.

'Yyy?' meddai Dad.

'Ond yn fwy brawychus,' meddai Henri.
'Ond peidiwch â phoeni, fe alla i helpu.'

'O, wir?' meddai Mam.

'O, wir?' meddai Dad.

'Gallaf,' meddai Henri, 'dwi'n gwneud
gweddnewidiadau.' Rhoddodd daflen i
Mam a Dad.

Wyt ti'n hyll?
Wyt ti'n hyll iawn?
Wyt ti'n edrych fel anghenfil
Llyn Tegid? (Ond yn waeth?)
Wel, mae heddiw'n ddiwrnod lwcus i ti!
GWEDDNEWIDIADAU
GODIDOG HENRI.
Dim ond £2 i ti gael bod
yn berson newydd cyffrous!!!!!

'Felly, sawl gweddnewidiad hoffech chi?' meddai Henri Helynt. 'Deg? Dau ddeg? Mwy, efallai, achos eich bod chi mor hen ac mae angen llawer o waith arnoch chi.'

'Cer i weddnewid rhywun arall,' meddai Mam, a gwgu.

'Cer i weddnewid rhywun arall,' meddai Dad, a gwgu.

Wel, dyna anniolchgar, meddyliodd Henri Helynt.

'Fi'n gyntaf!'

'Nage fi!'

Roedd sgrechian yn dod o ardd Bethan. Kate Kung-Fu a Swyn Soniarus oedd y rhai nesaf i ddioddef. Wel, nid os gallai Henri wneud rhywbeth.

'Dewch nawr i gael eich gweddnewid fan hyn!' gwaeddodd Henri. 'Gweddnewidiadau Gwyrthiol, gan arbenigwr. Dim ond £2 i chi gael bod yn berson newydd sbon.'

'Gad lonydd i 'nghwsmeriaid i, y copïwr digywilydd!' poerodd Bethan Bigog, gan ddal ei llaw allan i gipio punt Kate.

Chymerodd Henri ddim sylw.

'Rwyt ti'n edrych yn ddiflas, Kate,' meddai Henri. 'Beth am adael i arbenigwr *go iawn* roi gweddnewidiad i ti?'

'Ti?' meddai Kate.

'Dwy bunt ac fe fyddi di'n edrych yn hollol wahanol,' meddai Henri Helynt. 'Dwi'n addo i ti.'

'Dim ond punt mae Bethan yn ei godi,' meddai Kate.

'Fy nghynnig arbennig heddiw yw 75c
am y gweddnewidiad cyntaf,' meddai
Henri'n gyflym. 'A chyngor harddwch am
ddim,' ychwanegodd.

Edrychodd Swyn i fyny. Cododd Kate o
gadair Bethan.

'Fel beth?' gwgodd Bethan. 'Dere, dwed
wrthon ni.'

Yyyy. Beth yn y byd *oedd* cyngor
harddwch? Os yw dy wyneb yn frwnt,
golcha fe? Defnyddia grib llau pen?
Doedd dim syniad gan Henri Helynt.

'Wel, yn dy achos di, gwisga
fag dros dy ben,' meddai
Henri Helynt. 'Neu fwced.'

Chwarddodd Sara.

'Ha ha, doniol iawn,'
meddai Bethan yn swta.
'Dere, Kate. Paid â gadael iddo
fe dy dwyllo di. *Fi* sy'n arbenigo ar roi
gweddnewidiadau.'

'Dwi'n mynd i roi cynnig ar Henri,' meddai Kate.

'A fi hefyd,' meddai Swyn.

Hwrê! Fy nghwsmeriaid cyntaf. Tynnodd Henri ei dafod allan ar Bethan.

Dringodd Kate Kung-Fu a Swyn Soniarus dros y wal ac eistedd ar y fainc wrth y bwrdd picnic. Agorodd Henri ei fag colur a dechrau gweithio.

'Dim sbecian,' meddai Henri. 'Dwi eisiau i chi gael syrpréis.'

Aeth Henri ati i iro a dwbio, lliwio a rhwbio, taenu a sychu. Roedd hyn yn hawdd!

'Dwi mor brydferth – ffal-di-ral-di ro,' canodd Swyn.

'Dwyt ti ddim yn mynd i wneud fy ngwallt i?' meddai Kate Kung-Fu.

'Wrth gwrs,' meddai Henri Helynt.

Gwacaodd botyn o lud dros ei phen a'i symud o gwmpas.

'Beth wyt ti wedi'i roi ynddo fe?' meddai Kate.

'Hylif gwallt cyfrinachol,' meddai Henri.

'Beth amdanaf *i*?' meddai Swyn.

'Dim problem,' meddai Henri, gan dywallt paent coch arni.

Ychydig o ddu fan yma, ambell ddiferyn o goch fan yna, tipyn o borffor a . . . dyna ni!

Safodd Henri'n ôl i edmygu ei waith llaw. Waw! Roedd Kate Kung-Fu yn edrych yn *hollol* wahanol. A Swyn Soniarus. Y tro nesaf byddai'n codi £10. Yr eiliad y byddai pobl yn eu gweld nhw, byddai pawb eisiau un o weddnewidiadau godidog Henri.

'Rydych chi'n edrych yn wych,' meddai

Henri Helynt. Doedd ganddo ddim syniad ei fod mor wych am weddnewid pobl. Byddai cwsmeriaid yn sefyll yn rhes i gael ei wasanaeth. Byddai angen cadw-mi-gei mwy arno.

'Dyna ni, yn union fel Mymi, Frankenstein, *a* fampir,' meddai Henri, gan roi drych i Kate.

'AAAAAAAAAAAAAA!'

sgrechiodd Kate Kung-Fu.

Cipiodd Swyn y drych.

'AAAAAAAAAAAAAA!' sgrechiodd Swyn Soniarus.

Syllodd Henri Helynt arnyn nhw. Wir, doedd rhai pobl byth yn hapus.

NAAAAAAAAAA

gwichiodd Kate Kung-Fu.

'Ond ro'n i'n meddwl dy fod ti eisiau edrych yn anhygoel,' meddai Henri.

'Yn anhygoel o dda! Nid brawychus!' llefodd Kate.

'Oes rhywun wedi gweld fy minlliw
newydd i?' meddai Mam. 'Fe allwn i
dyngu fy mod i wedi'i roi e yn y – '

Gwelodd hi Swyn a Kate.

'AAAAAAAAAAAAAAAAAAAAAA!'

sgrechiodd Mam. 'Henri! Sut gallet ti
wneud cymaint o helynt? Cer i dy stafell.'

'Ond . . . ond . . .' ebychodd Henri
Helynt. Doedd hyn ddim
yn deg. Ai fe oedd ar fai os
nad oedd ei gwsmeriaid
twp yn gwybod pan
oedden nhw'n edrych yn wych?

Cerddodd Henri'n drwm i fyny'r
grisiau. Yna ochneidiodd. Efallai fod
angen ychydig bach yn fwy o ymarfer
gweddnewid arno cyn dechrau agor
busnes.

Nawr, ble gallai ddod o hyd i rywun i
ymarfer arno fe?

'Fe ges i A am fy mhrawf sillafu,' meddai

Alun Angel.

'Fe ges i seren aur am fod â'r drôr mwyaf taclus,' meddai Tudur Taclus.

'Ac fe ges i fy rhoi yn y llyfr Rhagorol eto,' meddai Gordon Gofalus.

Rhuthrodd Henri i mewn i stafell wely Alun.

'Dwi'n gwneud gweddnewidiadau,' meddai Henri Helynt. 'Pwy sydd eisiau mynd yn gyntaf?'

'Ymmmmm,' meddai Alun.

'Ymmmmm,' meddai Tudur.

'Rydyn ni'n mynd i barti pen-blwydd Gerwyn heddiw,' meddai Gordon.

'Gorau i gyd,' meddai Henri, a gwenu fel giât. 'Fe allaf i wneud i chi edrych yn wych ar gyfer y parti. Pwy sy'n dod gyntaf?'

4

YMWELIAD AWDUR HENRI HELYNT

Deffrodd Henri Helynt. Teimlai'n rhyfedd. Teimlai'n . . . hapus. Teimlai'n . . . llawn cyffro. Ond pam?

Ai'r penwythnos oedd hi? Nage. Diwrnod dim ysgol? Nage. Oedd dynion o'r gofod wedi cipio Miss Hen Sguthan a'i chludo i blaned arall i weithio mewn pyllau halen? Nac oedd (yn anffodus).

Felly pam roedd e'n teimlo mor gyffrous ar ddiwrnod ysgol?

O waw! Roedd hi'n Wythnos Llyfrau yn ysgol Henri, ac roedd ei hoff awdur yn y byd i gyd, MH Gwib, awdur y llyfrau gwych *Ysbryd y Nos* a *Peiriannau Dwl* a *Sgerbwd Salw* yn dod i siarad â'i

69

ddosbarth. Roedd Henri wedi darllen pob
un o lyfrau gwych MH, hyd yn oed ar ôl
i'w fam ddiffodd y golau. Roedd Huw
Haerllug yn meddwl eu bod nhw bron
cystal â chomics Gethin Gwyllt. Roedd
Henri Helynt yn meddwl eu bod nhw
hyd yn oed yn well.

Rhedodd Alun Angel i mewn i'w stafell.

'Dwi mor gyffrous, Henri!' meddai
Alun Angel. 'Mae ein dosbarth ni'n mynd
i gwrdd ag awdur go iawn! Mae Llwyd
y Llaethwr yn dod heddiw. Fe yw'r dyn
ysgrifennodd *Y Clwt Hapus*. Wyt ti'n
meddwl y byddai e'n fodlon llofnodi fy
nghopi i?'

Chwarddodd Henri Helynt.

Y Clwt Hapus! Y llyfr twpaf erioed.
Llond y lle o glytiau enfawr
gydag enwau fel Clwt Twt
a Pwt y Clwt a Clwt Ffrwt
yn dawnsio ac yn prancio
o gwmpas. Ac yna'r Clwt

heb Gwt ofnadwy oedd yn llefain o hyd,
'Dwi'n wlyb diferu!'

Crynodd Henri Helynt. Roedd e'n
synnu bod Llwyd y Llaethwr yn mentro
dangos ei wyneb ar ôl ysgrifennu llyfr mor
ddiflas.

'Dim ond mwydyn o lyffant fel ti fyddai'n
hoffi stori mor dwp,' meddai Henri.

'Dyw hi ddim yn dwp,' meddai Alun.

'Ydy 'te.'

'Dyw hi ddim. Ac mae e'n dod â'i gitâr.
Dyna ddywedodd Miss Annwyl.'

'Dyna wych,' meddai Henri Helynt.
'Mae MH Gwib yn dod aton *ni*.'

Crynodd Alun Angel.

'Mae ei llyfrau hi'n rhy frawychus,'
meddai Alun.

'Achos mai babi wyt ti, dyna pam.'

'Mam!' gwichiodd Alun. 'Fe alwodd
Henri fi'n fabi.'

'Y clapgi,' poerodd Henri.

'Paid â chreu helynt, Henri,' gwaeddodd
Mam.

Eisteddai Henri Helynt yn y dosbarth
gyda bag enfawr yn llawn o'i holl lyfrau

gan MH Gwib.
Roedd pawb yn
y dosbarth wedi
gwneud cloriau
llyfrau i *Ysbryd y
Nos* a *Storïau Ysbryd*,
ac wedi ysgrifennu
eu stori *Sgerbwd
Salw* eu hunain.

72

Stori Henri oedd yr orau, wrth gwrs: *Brwydr y Sgerbwd Salw a'r Milwr Rhufeinig: Y mwyaf drewllyd fydd yn ennill!* Byddai'n rhoi'r stori i MH Gwib petai hi'n talu miliwn o bunnoedd iddo.

Deg munud i fynd. Sut gallai e fyw tan iddi hi gyrraedd?

Cliriodd Miss Hen Sguthan ei gwddf.

'Blant, mae gwestai pwysig iawn yn dod. Dwi'n gwybod eich bod chi i gyd yn gyffrous iawn, ond rhaid i bawb ymddwyn yn berffaith. Fe fydd unrhyw un sy'n camfihafio'n cael ei anfon allan. Ydych chi'n deall?' Rhythodd ar Henri.

Gwgodd Henri arni hithau. Wrth gwrs y byddai e'n ymddwyn yn berffaith. Roedd MH Gwib yn dod!

'Oes unrhyw un wedi meddwl am gwestiwn da i'w ofyn iddi? Fe ysgrifennaf i'r rhai gorau ar y bwrdd du,' aeth Miss Hen Sguthan yn ei blaen.

'Faint o arian rydych chi'n ei ennill?' gwaeddodd Huw Haerllug.

'Sawl teledu sy gyda chi?' gwaeddodd Henri Helynt.

'Ydych chi'n hoffi losin?' gwaeddodd Bleddyn Bolgi.

'Cwestiynau *da* ddywedais i,' meddai Miss Hen Sguthan yn swta. 'Tudwal, beth yw dy gwestiwn di i MH Gwib?'

'Dim syniad,' meddai Tudwal Tew.

Chwyrnu.

Chwyrnu.

Chwyrnu.

Wwwps. Roedd bola Henri'n dweud wrtho bod angen cael rhywbeth bach i'w fwyta.

Gormod o gyffro, siŵr o fod. Doedd dim hawl bwyta yn yr ysgol o gwbl, ond roedd Henri'n wych am sleifio bwyd i'w geg. Fyddai e ddim eisiau i'w fola chwyrnu pan oedd MH Gwib yn siarad.

Roedd Miss Hen Sguthan yn ysgrifennu wyth cwestiwn Glenda Glyfar ar y bwrdd.

Yn araf, yn ofalus, yn ddistaw bach, agorodd Henri Helynt ei focs bwyd o dan y ford. Yn araf, yn ofalus, yn ddistaw bach, agorodd y bag o greision.

Edrychodd Henri Helynt i'r chwith.

Roedd Huw Haerllug yn chwifio ei law yn yr awyr.

Edrychodd Henri Helynt i'r dde.

Roedd dŵr yn dod o ddannedd Bleddyn Bolgi wrth iddo agor bag o losin.

Roedd popeth yn iawn. Rhoddodd Henri ychydig o greision Draenog Sbeislyd yn ei geg.

CNOI! CRENSH!

'Dere Henri, rho ychydig o greision i fi,' sibrydodd Huw Haerllug.

'Na wnaf,' poerodd Henri Helynt. 'Bwyta dy rai dy hunan.'

'Dwi'n llwgu,' cwynodd Bleddyn Bolgi. 'Rho greision i fi.'

'Na wnaf!' poerodd Henri Helynt.

CNOI CRENSH! TYNNU

Yyy?

Roedd Miss Hen Sguthan yn sefyll
uwch ei ben ac yn dal ei fag o greision fry
yn yr awyr. Roedd ei llygaid coch fel dwy
gyllell rewllyd.

'Beth ddywedais i wrthot ti, Henri?'
meddai Miss Hen Sguthan. 'Dim
camfihafio. Cer i ddosbarth Miss Annwyl.'

'Ond . . . ond . . . mae MH Gwib yn
dod!' baglodd Henri Helynt. 'Dim ond–'

Pwyntiodd Miss Hen Sguthan at y drws.
'Allan!'

'NAAAAAAAAAA!' udodd Henri.

Eisteddai Henri Helynt
ar gadair fach yng nghefn
stafell Miss Annwyl. Doedd
e erioed wedi dioddef y
fath beth. Ceisiodd gau ei
glustiau wrth i Llwyd y
Llaethwr ddarllen ei lyfr
ofnadwy i ddosbarth Alun.

'Helô Clwt Twt a Pwt y Clwt a Clwt
Ffrwt! Ydych *chi*'n gallu gweld lle mae'r
Clwt yn gollwng?'

'Nac ydw,' meddai
Clwt Twt.

'Nac ydw,' meddai Pwt y Clwt.

'Nac ydw,' meddai Clwt Ffrwt.

'Dwi'n gallu,' meddai Clwt heb Gwt.

AAAAAₐₐₐAAAAA!' Cleciodd Henri Helynt ei ddannedd. Byddai'n mynd yn wyllt petai'n rhaid iddo wrando rhagor ar hyn.

Roedd yn rhaid iddo ddianc.

'Dewch bawb i ganu cân y Clwt Hapus,' canodd Llwyd y Llaethwr, gan dynnu ei gitâr allan.

'Hwrê!' gwaeddodd y babanod.

Na, cwynodd Henri Helynt.

O dwi'n glwt bach hapus,
Clwt bach hapus, hapus
Dwi'n lapio dy ben ôl yn dwt a chlòs,
A'i gadw'n sych drwy'r dydd a'r nos
O -

Artaith oedd hyn. Nage, roedd hyn yn waeth nag artaith. Sut gallai eistedd

79

yma'n gwrando ar hen gân ofnadwy'r
Clwt Hapus gan wybod bod MH Gwib
yn union uwch ei ben, yn darllen o un
o'i llyfrau anhygoel, yn dangos ei sgerbwd
salw enwog, ac yn dangos lluniau *Ysbryd y
Nos*. Roedd yn rhaid iddo fynd yn ôl i'w
ddosbarth ei hun. Roedd yn rhaid iddo.

Ond sut?

Beth am ymuno â'r canu? Gallai
floeddio:

O dwi'n glwt bach gwlyb,
Clwt bach drewllyd gwlyb–

O ie! Byddai'n cael ei anfon drwy'r drws
yn syth at – y pennaeth. Ddim yn ôl at ei
ddosbarth a MH Gwib.

Caeodd Henri Helynt ei geg. Daro.

Efallai byddai daeargryn yn digwydd?
Y trydan yn torri? Pam nad oedd dril tân
pan oedd eisiau un?

Gallai esgus bod angen iddo fynd i'r tŷ bach. Ond wedyn, pan na fyddai'n dod yn ôl, bydden nhw'n dod i edrych amdano.

Neu efallai y gallai sleifio i ffwrdd? Pam lai? Cododd Henri ar ei draed a dechrau llithro tuag at y drws, gan geisio bod yn anweledig.

Sleifio Sleifio Sl –

'Hei, dere'n ôl fan hyn, grwt bach,' gwaeddodd Llwyd y Llaethwr, gan blycio'i gitâr. Rhewodd Henri. 'Dim ond dechrau mae'r parti. Nawr, pwy sy'n gallu dawnsio dawns y Clwt Hapus?'

'Fi,' meddai Alun Angel.

'Fi,' meddai Gordon Gofalus.

'Mae pawb yn ei gwybod hi,' meddai Tudur Taclus.

'Pawb ar eu traed,' meddai Llwyd y Llaethwr. 'Un-a-dau-a, dewch i ddawnsio Dawns y Clwt Hapus!'

'Clwt clwt clwt clwt clwt clwt hapus,'
canodd Llaethwr.

'Clwt clwt clwt clwt clwt clwt hapus,'
canodd dosbarth Alun dan ddawnsio.

Rhaid bod yn ddewr ar adegau fel hyn.
Dechreuodd Henri Helynt ddawnsio. Yn
araf, symudodd yn nes ac yn nes ac yn nes
at y drws a – rhyddid!

Estynnodd Henri Helynt am fwlyn
y drws. Roedd Miss Annwyl wrthi'n
dawnsio yn y gornel. Dim ond cam neu
ddau eto . . .

'Pwy sy'n mynd i fy helpu i actio'r stori?'
gwenodd Llwyd. 'Pwy hoffai chwarae rhan
y Clwt Hapus?'

'Fi! Fi!' gwichiodd dosbarth Miss
Annwyl.

Suddodd Henri Helynt yn erbyn y wal.

'Dere nawr, paid â bod yn swil,' meddai
Llwyd, gan bwyntio'n syth at Henri. 'Dere
nawr a gwisga'r clwt hapus hudol!' A dyma

fe'n cerdded draw a hongian clwt glas
enfawr o flaen Henri. Roedd e dros fetr o
led a metr o uchder gydag wyneb hyll yn
gwenu a llygaid mawr yn rhythu.

Camodd Henri Helynt am
yn ôl. Roedd e'n teimlo'n
wan. Roedd y clwt enfawr
yn hongian uwch ei ben.
Mewn eiliad byddai dros
ei ben a byddai'n sownd.
Byddai ei enw'n faw – am
byth. Henri'r clwt. Henri'r
clwt enfawr. Henri'r clwt
hapus enfawr . . .

'AAAAᴀᴀᴀᴀAAAA!' sgrechiodd Henri
Helynt. 'Cadwch draw, wnewch chi!'

Rhoddodd Llwyd y Llaethwr y gorau i
chwifio'r clwt enfawr.

'O diar,' meddai.

'O diar,' meddai Miss Annwyl.

'Paid ag ofni,' meddai Llwyd.

Ofni? Henri Helynt . . . yn ofni? Clwt enfawr? Agorodd Henri ei geg i sgrechian. Ac yna stopiodd. Beth petai . . . ?

'Help! Help! Mae clwt yn ymosod arna i!' gwichiodd Henri.

'HEEEEEEELP!'

Edrychodd Llwyd y Llaethwr ar Miss Annwyl.

Edrychodd Miss Annwyl ar Llwyd y Llaethwr.

'HEEEEEEELP! HEEEEEEELP!'

'Henri? Wyt ti'n iawn?' meddai Alun Angel.

'NAAAAC YDWWWW!' llefodd Henri Helynt, a phlygu i lawr. 'Dwi'n . . . dwi'n . . . ofni clytiau.'

'Dim ots,' meddai Llwyd y Llaethwr. 'Nid ti yw'r bachgen cyntaf i ofni clwt enfawr.'

'Dwi'n siŵr y bydda i'n iawn os af i'n ôl i 'nosbarth i,' ebychodd Henri Helynt.

Oedodd Miss Annwyl. Agorodd Henri Helynt ei geg i ddechrau udo –

'I ffwrdd â ti 'te,' meddai Miss Annwyl yn gyflym.

Arhosodd Henri Helynt ddim iddi ddweud eto.

Rhedodd fel y gwynt allan o ddosbarth Miss Annwyl, ac yna rhuthro i fyny'r grisiau i'w ddosbarth ei hun.

Sgerbwd Salw, dyma fi'n dod, meddyliodd Henri, gan wthio'i ffordd drwy'r drws.

Dyna lle roedd MH Gwib, yr awdur

gwych a rhyfeddol, ar fin dechrau darllen
pennod newydd sbon o'i llyfr diweddaraf,
Bom Drewllyd y Sgerbwd. Diolch byth,
roedd e mewn pryd.

'Henri, beth wyt ti'n ei wneud yma?'
poerodd Miss Hen Sguthan.

'Fe anfonodd Miss Annwyl fi'n ôl,'
gwenodd Henri Helynt. 'Ac fe ddywedoch
chi y dylen ni ymddwyn yn dda heddiw,
felly dyna wnes i.'

Eisteddodd Henri wrth i MH ddechrau
darllen. Roedd y stori'n wych.

Aaaa, ochneidiodd Henri Helynt yn
hapus, on'd oedd
bywyd yn wych?